1월부터 12월까지

하루 단편선

2 0 2 2 년

- 이 책은 2022년에 썼던 시들을 모아 편집한 책입니다
- 시집 속 사진은 제가 직접 찍은 사진들입니다
- 유튜브 : 만다링공방
- 인스타그램 @mmandaring
  @from.yur

1월부터 12월까지

하 루
단편선

2 0 2 2 년

글, 사진 : 최유리

여러분의 하루에게

2023년 8월 7일

하루단편선은 방황하는 불안함을 달래주던
소중한 마음들을 차곡차곡 쌓아 올린 책입니다.
여러분의 마음에도 위로가 되었으면 합니다.
그럼, 오늘 하루 잘 보내시길 바랍니다

최유리 올림

꽃보라

나의 계절을 바친 너에게
새로운 계절을 바라면서
오늘을 기다릴게

눈, 2월 2일

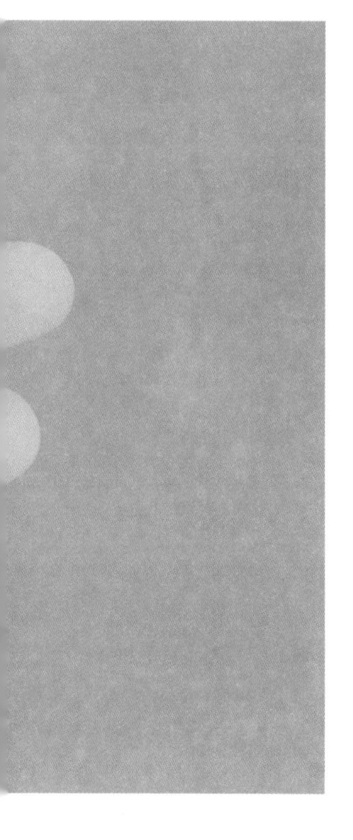

모르지

1월 22일

있잖아,

네가 바쁘게 보냈던 만남들 중에

나의 수많은 기다림을 넣어

겨우 한 번 붙잡은 시간도 있었어

네가 가볍게 보냈던 시간들은

나에겐 쉬기도 어려웠던 숨이었어

나한테 너는 그만큼 벅찬 존재였어

근데 너는 아직도 모르지

눈

2월 2일

나의 계절을 바친 너에게
새로운 계절을 바라면서
오늘을 기다릴게

기대

2월 9일

내게 기대는 사치이자

환상이자 꿈이었지

내게 기대는 사랑이자

환상이자 꿈이었지

그래서 네가 내게 기댈 때

그 온기와 무게가 느껴졌을 때

얼마나 행복했는지 아니

내 사랑을 닮은 네 사랑을 볼 때

얼마나 행복했는지 아니

Moon Walts

2월 15일

같은 아침을 맞이한 하늘 아래
작게 떠오른 달빛 하나
같이 올라서는 거 어때?

어차피 저 달은
우리가 띄운 달이라서
아무도 모를 거야

새벽밤에 간절했던 마음이
이제야 애타게 빛나는데
그대로 구름에 가리기
너무 안타깝잖아

빛이 사라질 때까지
같이 추는 거야

빛을 밟고 올라가자

내 손을 잡고 따라와

나도 처음이지만

너라면 용기 낼 수 있어

내 손에 기댄 너의 떨림이

나한테까지 건너왔어

너도 내 떨림이 느껴질까

느껴진다면 더 세게 잡아줄래?

수줍었던 마음은

이제 다 바랬다고 생각했는데

저 달빛을 보면

아직도 빛을 내는 걸 보면

아직 빛을 내고 있나 봐

너도 그렇고

나도 그렇고

복숭아 저녁

3월 10일

너의 노을빛은

두 뺨에 녹아내렸네

연하게 타오른 햇살은

녹아든 사랑을 받아서

복숭아 빛으로 물들어 가네

너의 하루 끝은

두 뺨에 스며들었네

진하게 빛나는 별들은

스며든 사랑을 보면서

복숭아 빛을 다 삼켜버리네

말갛게 물든 노을은

말갛게 물든 별들은

하루 끝에서 어떤 빛으로

물들어 가네

안아줘

3월 13일

#새벽

날 안아줘

내가 널 놓치지 않게

붙잡아줘

어떤 비극이 찾아와도

널 잃는 것만큼

아프진 않을 테니

내가 널 잃지 않게

놓치지 않게

붙잡아줘

하고픈 말

3월 20일

사실 난 아직도 모르겠어
어색한 감정 속에서
뭘 해야 하면 좋을지

그래도 말이야
너랑 같이 있으면
좋아서 도망가고 싶은데
네 곁에 있고 싶어
지금보다는 가까이

GIVE MOON

3월 22일

네 눈에 들어간 달이면

분명 더 빛나게 반짝이겠지

너는 이미 눈 안에

우주를 담고 살았으니 말야

생각 없을 때

3월 28일

누군가

사랑이 온다면

그 안에

따뜻하게 맑은 햇살과

푸르게 빛나는 물결만

바라보고 웃어주기

그건 그 사람이

너에게만 주는

너에게만 보낸

네가 가져도 되는

특별한 사랑이니까

넌 그저 받아만 주기

연보라

4월 11일

벚꽃이 내 머리 위에

한가득 쌓일 때

그제야 나타난 너,

미운 마음에 울컥하다가

사랑이 먼저 달려가 버렸네

눈맞춤

4월 23일

분명 착각일 텐데

묘한 감정의 흐름이 도는 건

단순한 내 바람이겠지

밤

4월 27일

자그마한 달빛을 띄어
한밤의 자장가를 재울 때
그제야 너는 잠에 든다

무슨 노랠 불렀는지
너는 영영 모르겠지만
적어도 널 사랑한다는 걸
꼭 기억해 줘야 해

의심 없이 잠에 들길
그게 너를 향한 마음이야
그리고 내게 네게 주는
작은 사랑이기도 해

나의 우주

5월 22일

보잘것없는 내 하루에 나타나

파란빛으로 채워줘서 고마워

그리고 네 하루에 들어가

작은 빛이 되게 해줘서 고마워

우리는 서로의 빛이 되어서

서로를 비추면서

모든 빛을 받아내면서

서로의 삶을 살아가게 해주는

서로가 되어줘서 고마워

우리의 우주가 되어줘서 고마워

靑夏

5월 28일

오랜만이야 이런 기분

내가 웃으니까

너도 나를 따라 웃네

어쩌면 너는

5월 30일

너도 사랑을 받아줬음 좋겠어

남의 사랑이 고귀하듯이

네 사랑도 고귀하다

여겨줬음 좋겠어

모든 사랑은 고귀하니까

그게 너라도

SUMMMMER

6월 4일

더워진 햇살에 눈이 찌푸릴수록

네 모습은 더 잘 보이는 거 알아?

그래서 찡그린 내 표정도 사랑해 줘

너를 더 잘 보려면 어쩔 수 없었어

대신 축 늘어진 입꼬리를 올릴게

자리 잡은 주름에 사랑을 끼워 넣을게

흐르는 땀방울에 미소도 넣을게

그러니 날 보고 놀라진 말아줘

햇살은 숨어들었고

달빛이 눈을 찡그렸어

그리고 나도 너를 보며

한쪽 눈은 뜨고 찡그리고

너를 담아볼 거야

그렇게 내 여름이 되는 거야

Loooove

6월 9일

나는 이제 너와 모든 순간을
사랑이라고 부를 거야
네가 모르는 순간부터
네가 알아갈 순간까지
네가 내 삶에 있는 모든 순간을
사랑이라 부를 거야

친구

6월 12일

같은 밤 아래에서
다른 자리에 앉아서
같은 생각을 나누고
다른 길을 응원하는 거

그런 사람이 있다는 것도
그런 사람이 된다는 것도
그럴 사람을 찾았다는 것도
그럴 사람이 너라는 것도
그리고 또 너라는 것도
다 행복한 일이지

다른 고민 아래서

같은 감정을 나누고

다른 시간을 보내다

같은 위로를 나누고

다른 생각에 살다가

같은 사랑을 찾아내고

그럴 수 있다는 것도 좋았고

그래도 된다는 것도 힘이 되었고

그렇게 산다는 것도 안심이 되었고

다 좋았어, 나도

너도 다 좋았지

한바퀴

6월 26일

온 세상을 한 바퀴 돌고 돌아

세상에서 제일 예쁜 꽃을 찾아

손에 가장 깊게 남은 온기를 담아서

널 위한 꽃다발 한아름 만들고

온 세상을 한 바퀴 돌고 돌아

세상에서 가장 좋은 꿈을 찾아

귀에 가장 오래 남은 웃음을 땋아서

널 위한 잠자리 한 움큼 눕히고

온 세상을 한 바퀴 돌고 돌아

세상에서 아주 멋진 빛을 찾아

네게 가장 평생 빛인 별들을 펼치고

널 위한 우주를 한곳에 놓고서

내 세상에서 가장 예쁜 것들을 모아

내 세상에서 가장 편한 것들을 모아

내 세상에서 가장 빛나는 것들을 모아

너에게 전해주고 싶어, 나는

내 행복에서 뛰노는 너를 꿈꾸며

나는 오늘 밤을 돌아다닐 거야

하늘

6월 28일

네 주변에 사랑이 있는 게

항상 당연했으면 해

안식처

7월 6일

있잖아요 우리
서로의 안식처가 돼주는 거 어때요
그곳에서는 사랑해도 상처 없도록
마음만 흐르게 두는 거예요

생각들은 저 멀리 지구로 보내고
사람들끼리 부대끼게 두고
우리는 우리끼리만 사랑하는 거예요

안식처

7월 6일

있잖아요 저는
그대 세상을 다 채우고 싶어요
푸른 별을 모아서
그 속을 헤엄치고 싶어요

나는 그대와 사랑만 나누고 싶어요
그대라면 내 사랑 다 맡겨도
아프지는 않을 거 같아서

그대

7월 12일

그대를 먼저 반길 감정은

아픔보단 사랑이고 싶어요

아픔이 사랑보다 앞서게 두기 싫어요

사랑이 먼저 앞서게 두고 싶어요

그러니 나를 반긴다면

웃어주세요, 울지 마세요

여름

7월 24일

지긋지긋한 여름을

네 모든 순간에 담아놓고

행복했던 여름이라

기억하고 싶어졌어, 난

네 눈동자에

네 손바닥에

나만 기댈 수 있는

우리만의 여름

고마워서 고마워,

10월 1일

행복하게 바빴던 하루를 되돌아보면

내가 줬던 사랑이

나에게 돌아오는 게 아닌

나를 위해 주는 사랑이

나에게 오는 게 아닌

그냥 나라서 너라서

우리라서 오고 간 사랑이

하루를 채워줬다는 게 너무 좋아서

더 행복하고 행복했던 하루였던 것 같아

나를 사랑해주는 너

10월 2일

결국 나를 살리는 건

내가 사랑하는 사람이 아니라

나를 사랑해 주는 너였구나

그래서 나는 살아야 하는구나

날 사랑해 주는 네가 있어서

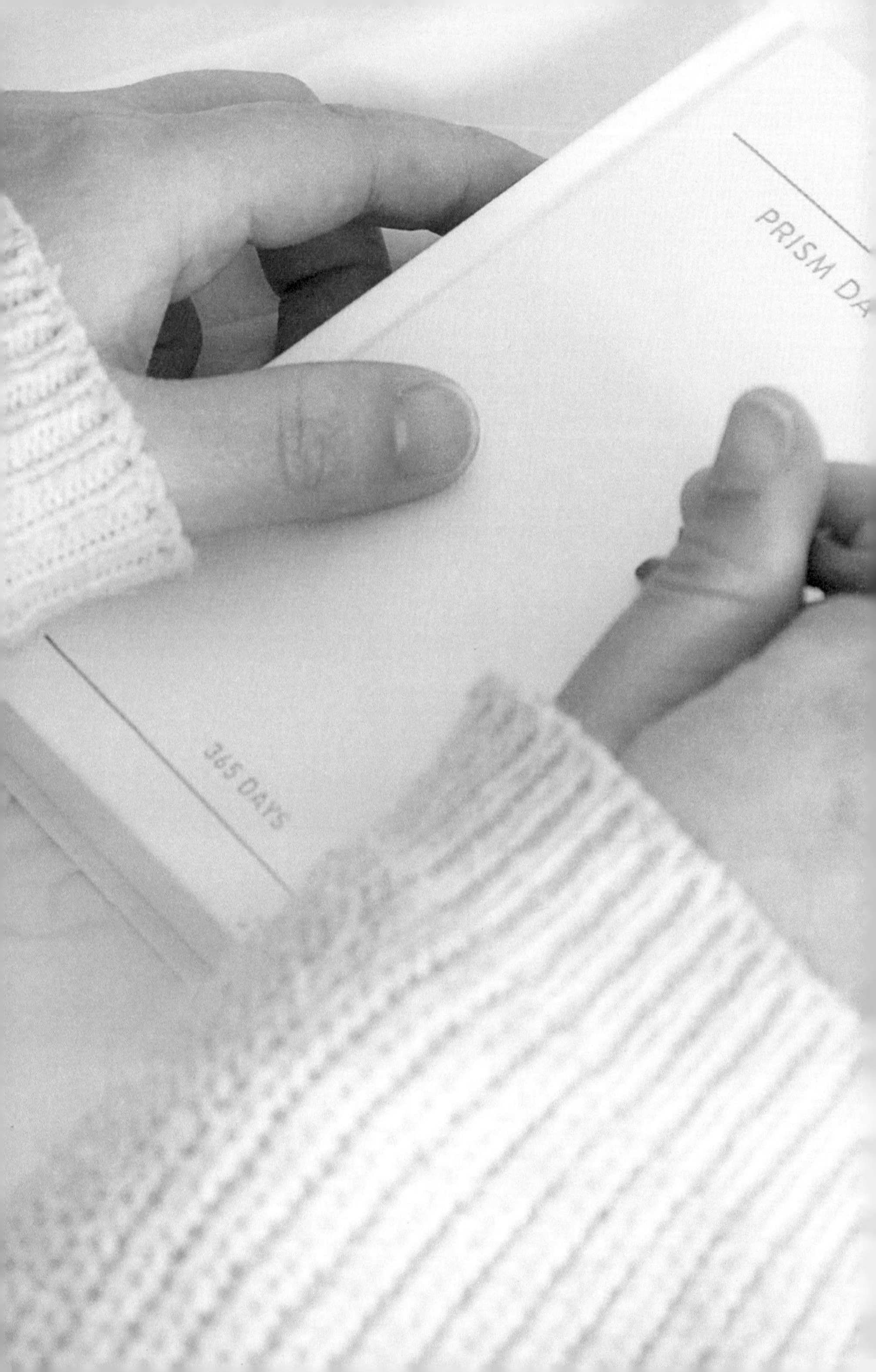
PRISM DA
365 DAYS

행복한 하루

10월 8일

사랑이 되자 그리고 사랑을 주자

그리고 나를 위한 사랑을 주고

나를 위한 사랑을 받고 행복하자

푸른 달

10월 13일

있잖아요

수줍은 미소가 너무 가득 차서

이미 들켜버린 제 마음을

다 알고 계시는 그대에게

하고 싶은 말이 있어요

저 푸른 달이 보이시나요

드디어 밝게 뜬 보름달이에요

혼자서는 채울 수 없을 거라며

단정 지었던 그 달빛이

혼자서도 밝게 빛나고 있어요

행복한가요 그대는

저는 행복해요

그대가 없어도

그대는 있으니까

그래서 나는 행복해요

날 보며 웃어주길 바랐어요

근데 그대는 나만큼

날 사랑하지 않았죠

그게 참 아파서 아팠는데

그래도 괜찮아요

저 달은 내 영원한 달이니까

그래서 나는 행복해요

내 달을 띄우게 해줘서 고마워요

그 말은 꼭 전하고 싶었어요

사랑하자

10월 15일

긴 시간 물들이는 시간을

운명이라 우긴 시간은

그만 잠들게 하고

이제 긴 시간 이어갈 인연을 사랑하자

30

11월 30일

가로등의 모든 빛을 재워두고

우리는 더 붙어있자

숨소리도 들리지 않게

입을 맞추자

가파른 숨이 나온다면

내가 삼켜줄게

보드라운 손끝으로 다스리면

더운 바람이 부어오르겠지

그러면 나도 같이 날아갈래

9:04pm

오늘

12월 1일

반쯤 덮인 눈꺼풀이

우리를 내려다보는 밤

같은 잠을 자고

같은 꿈을 꾸자

그리고 우리 행복하게

오늘을 기억하자

25

12월 25일

내 맘에 고인 말들을

고이 접어서 보내요

너는 내 손을 잡겠지
그치만 먼저 주진 않겠지
잡아도 잠시 잡고
영원히 놓겠지

괜한 걱정 10월 21일

시든 화관

1월 2일

꽃 따러 떠난 너는
한아름 안은 꽃을 들고
나를 지나쳐서 가고 있네

시든 화관 쓴 나는
떨어진 잎사귀를 줍고
너의 뒷모습만 바라보네

범람한 우주

1월 6일

저도 알아요

그대 생각 끝엔

내 모습이 없는걸

나는 너무도 잘 알죠

그리고 말이죠,

그대 생각 끝에

다른 이가 있는 것도

나는 너무도 잘 알아요

왜 알게 됐을까요,

나는 그대 사랑을

알고 싶었지만

내가 아닌 사랑을

알고 싶진 않았어요

그래서 내 밤은,

물기 가득한 눈에 담긴

내 처량한 밤하늘은,

그래도 떠오른 별들을 담가놓고

무턱대고 반짝이고 있답니다

내 밤하늘은 찰랑이더라도

그래도 그대의 밤하늘은

사랑이 가득해지길 바라요

그러면

내 밤하늘이

몇 번 범람해도

그쳐질 것 같아서

새벽밤

1월 15일

무엇 하나 채우기 어려운 새벽인데

나는 무얼 하려고

지금까지 깨어있는 건지

오늘 밤

1월 19일

왜 내 마음은

내가 먼저 끊을 수 없을까

남의 선택에

끊어야 할 수밖에 없을까

내 작은 마음에

한 사람만 담겠다는데

그마저도 도망가 버리네

그 사람도 내겐 벅찼나

내가 감당 못 할 만큼

그래서 벌써 끊어진 건가

시작도 모르는데

끝은 잘 알려준

너는 너무 싫고

나를 자꾸 밝히려는

저 달이 얄밉고

결국 헤맬

나도 싫은

오늘 밤이 싫어

경계 사이

1월 26일

나의 끝에서

우는 사람은

나 하나다

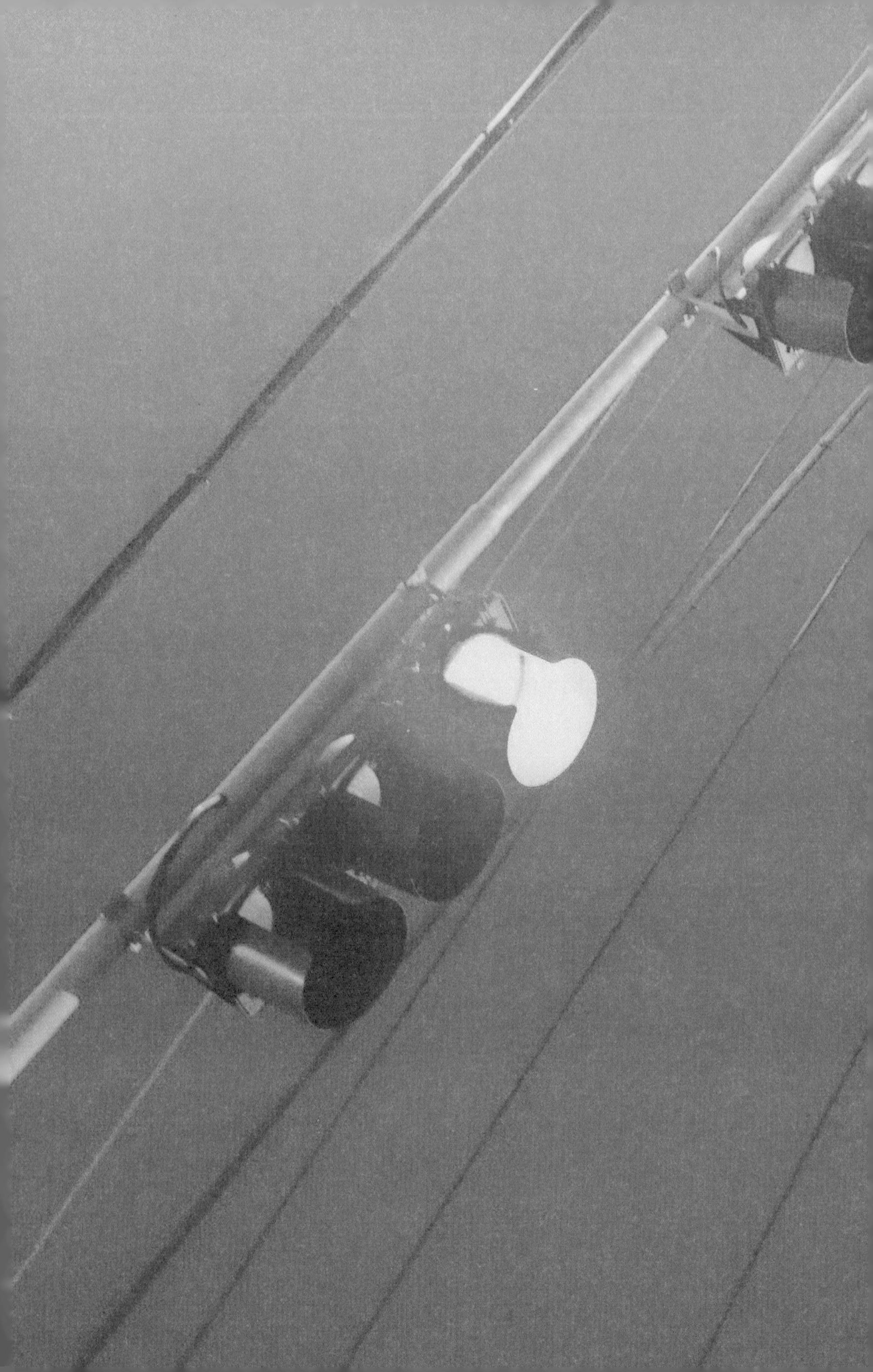

바람

1월 30일

당신은 항상 외면하기만 해

난 당신 빛 한가닥에

숨을 쉬었는데

당신은 내 눈빛도

무참히 부셔버리더라

네 눈물을 조심해

2월 1일

네 눈물을 조심해

잠깐 방심하는 사이

눈 깜박임 하나에

흘러넘치는 순간

너는 또 범람하고 말 테니

너에게 눈물은

나약함이 주는

한심함이 주는

불쌍한 죄이자

불쌍한 미련

그러니 너는

눈물을 조심해

범람하지 않게

범람 당하는 순간

너는 모든 걸 잃을 테니

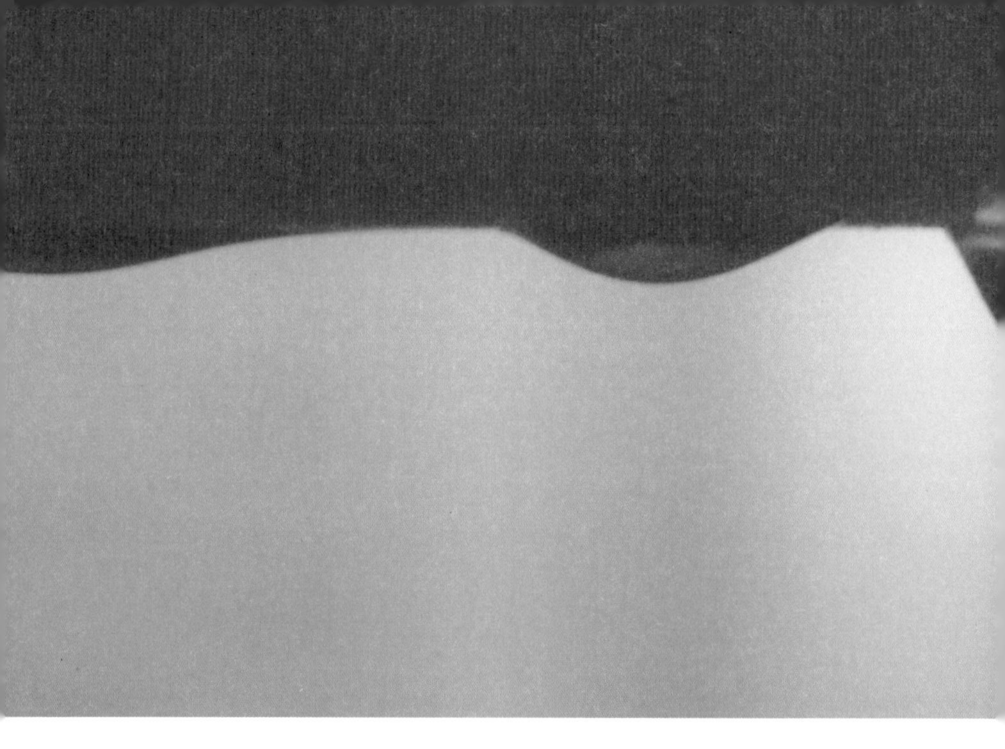

내 우울이

2월 3일

나에게 우울은
권력이라는 너에게

너는 내 무기력함은
우울이 아니고
게으름이라며
나를 탓했었지

그래서 나를 찼었지
거기서 일어나라면서

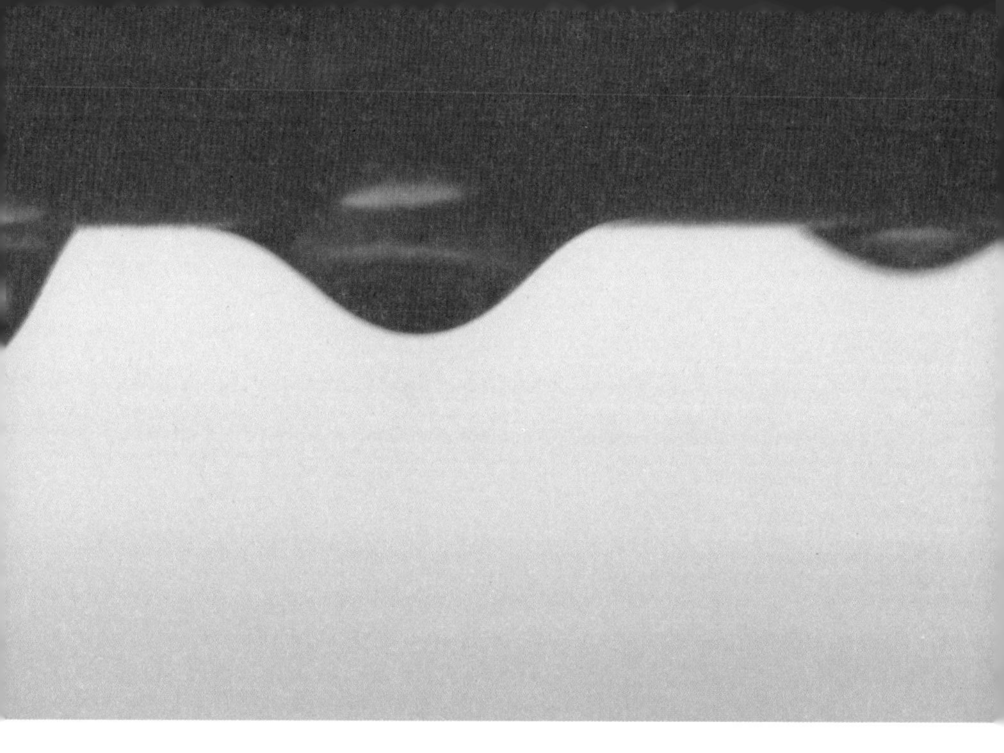

내 우울이

2월 3일

나의 우울을
외로움이라는 너에게

너는 내 괴로움을
우울이 이니라
부적응자라며
나를 내팽겨쳤지

그래서 나를 떠났지
내 옆자린 싫다면서

깨진 우주

2월 19일

네가 떨어뜨린 하루가
내 우주에 깊게 퍼졌어

억지로 띄운 별들은
붉게 날카롭게 죽어
나를 좋아했었던 너는
돌아오지 않을 것 같아

눈치 없는 우주에는
네가 버린 하루가
쓸데없이 빛나고 있어

자투리

2월 20일

아쉬운 쪽이 지는 거라면

시든 꽃이 될게

그것도 꽃이니까

2월 21일

더 사랑하는 쪽이 지는 거라면

나는 한참 전에 시든 꽃이겠지

인정할게

2월 23일

네 사랑은 웃음 한 번에

수많은 사랑을 주던데

왜 내 사랑은 울음 한 번에

수많은 사랑을 거두는지

우연

4월 3일

나한텐 다른 사람의 사랑보다
네 관심 하나가 더 크게 느꼈단 건
넌 절대 모를 거다
그래서 아플 일도 없겠지
무너질 일도 없겠지
결국 너를 인정해야 하는 내 시간을
너는 절대 모를 거다,
모를 거야

숨바꼭질

4월 28일

멍청한 나는 그때부터

네가 만든 밤에 갇혔다

늦은밤

5월 26일

근데 나는 내가 해낼 수 있을까

내가 잘하는 건 울기 뿐인데

그걸 알아도 날 사랑해 줄까

무서워서 숨기고 싶은데

결국 또 나는 울기만 하네

후유증(미완성)

6월 1일

네가 행복해야 내가 행복해

만약에, 아주 만약에

내가 울게 된다면

네가 보게 된다면

나를 보고 생각해 줘

네 사랑 못 받고 우는 나를 보며

네 사랑이 그렇게 대단한가하며

자부심이라도 가져준다면

그래도 내 눈물도

의미가 있게 되니까

노력

6월 5일

더 좋아하는 사람이

더 아쉬울거 없다던데

왜 나는 내가 항상 더 아쉽고

끝인지 모르겠다

이런게 내 사랑이라면

그만하는게 좋겠다

사랑할수록 사랑을 잃고

상처는 너무 많이 배운다

무기력

6월 17일

내 발자국을 네게 줬던건

널 사랑해서지

날 밟고 가란게 아니었어

살아갈 이유

7월 1일

희망도 없는 내 세상에서

작은 열정이 피어올라서

이런 생각들이 사라지기를

잠깐이라도 바라본다

밟아가면서 살아야하나

7월 9일

그렇게 남을 밟아가면서 살아야 하나

그렇게까지 이 숨을 살아야 하나

그렇게 해서 쉬는 삶은 축복인가

그렇게 남을 태워 가면서 살아야 하나

그렇게까지 이 빛을 키워야 하나

그렇게 해서 빛난 삶은 영광인가

밟아가면서 살아야하나

7월 9일

그렇게 남을 밀쳐가면서 살아야 하나
그렇게까지 이 길을 달려야 하나
그렇게 해서 가는 삶은 최선인가

그렇게까지 남을 미워하면서 살아야 하나
그렇게까지 미움을 유지해야 하나
그렇게 해서 사는 삶은 정말 삶인가

자투리2

7월 21일

내 고민을 별거 아닌것처럼 말하는건

그동안 내가 힘들었던걸

다 무의미하게 만드는 무례한 말

우는 소리는 이젠 지겨워

8월 4일

우는 소리는 이젠 지겨워

혼자 우는 소리에도 난
멍청하게 지치게 되더라
그래서 멍하니 누웠어

똑같은 세상이 그대로 돌아가
나 빼고 멀리멀리 도망가

다 도망가서 도망가고
나 혼자 남아서 멍하니 누워서
같은 세상에 남아서 멍하니

분명 사랑이 답이랬는데
똑같은 오답을 보고 있는 거 보면
내가 착각했었나 보다

구걸을 사랑으로 착각하고
애걸을 사랑으로 착각했네

그래서 우는 소리가 지겹구나
매일 똑같은 이유라서

몰랐지

8월 5일

나는 내가 사랑을 주면
사랑을 주는 줄 알았지
나는 내가 사랑을 주면
사랑을 받을 줄 알았지
외로움일 줄은 몰랐지

고마움이 이렇게나
외로움일 줄은 몰랐지

내 사람

9월 5일

나도 내 사람이 있으면 좋겠어

죽고 싶다 하면 안아주고 달래주고

힘들다 하면 내 편이 돼주고

걔가 죽고 싶다 하면 내가 살게 만들고

걔가 힘들다면 내가 힘이 돼주는

그런 내 사람이 있으면 좋겠어

나도 끝까지 있어 줄 내 사람이 필요해

너네가 갖고 있는 그 사람처럼

내가 될 수 없는 그 사람처럼

마음이 비어있던 사람이기를

9월 29일

너는 마음이 비어있던 사람이었길

그래서 내 파란 마음을

한참을 보내도 못 알아봤었기를

그게 아니었다면 나는 견딜 수 없으니

너는 마음을 버렸던 사람이었길

그래서 내 붉은 마음을

한참을 물들어도 밀어냈었기를

그랬었다면 차라리 덜 울었을 테니

그래도

10월 7일

그래도 기억해주세요

그래도 설렘이 있었다면

그래도 기억해줘야해요

그래도 사랑은 있었잖아

우울

10월 20일

나도 내 말 안듣는 사람에게

소중한 말 함부로 하지 말자

괜한 걱정

10월 21일

너는 내 손을 잡겠지

그치만 먼저 주진 않겠지

잡아도 잠시 잡고

영원히 놓겠지

사랑

12월 5일

사랑은 한사람에게 쓰이기엔

너무 아까운 단어야

6:39am

두고 가도 괜찮아요

12월 8일

미안하단 한마디에

사랑을 담았어요

두고 가도 괜찮아요

보름달

오늘도 애매한 자리에 낑겨서
울고 있을 너에게 전하는 나의 경계
얼른 나의 경계로 넘어와,
네 자리 남겨줄게

나의 경계 3월 8일

새로운 시작

1월 1일

눈물에 침범되는
당신의 나약한 마음을
오늘만큼은 흘려주시길

그리고
당신 소원 안에
깊이 담아주시길

당신의 간절한 마음이
쏟아지는 순간을 보면서
다시 한번만
눈을 감아주시길
숨을 쉬어주시길

그렇게 쉬어가다가

그렇게 감아보다가

빛나는 아침을 보면서

그날의 한숨을,

그날의 눈물을

다시 떠올려 주시길

내 숨이 빛나는 순간을,

내 맘이 빛나는 순간을

그건 당신의 세상 일테니

그러니

빛나는 당신의 숨결을

빛나는 당신의 노력을

마음껏 즐겨주시길

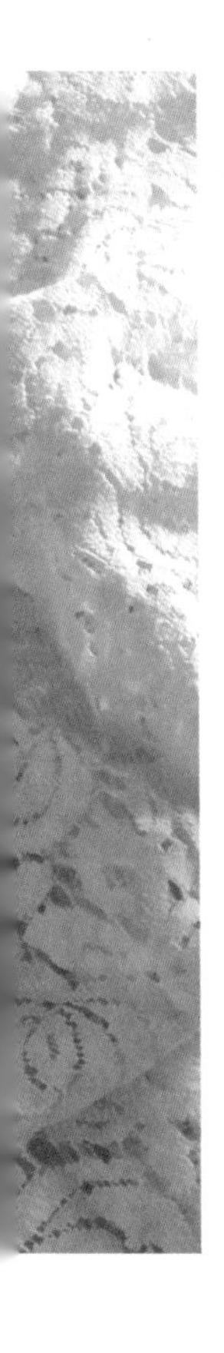

다이어리

1월 14일

당연한 기대는

내게 벅찬 아픔이지만

지금처럼

평온한 마음과 같이 있다면

또 다른 세상을

우린 맞이할 수 있을 거야

괜찮을 거야,

지금 이 행복도 무너져도

너는 더 큰 행복을 찾아낼 수 있으니

사계절

1월 27일

모든 계절은

다 너의 존재 하나로

다시 피어날 수 있소

그러니 그대 입술 끝에 메달려 있는

수많은 계절을 받으시오

생일

2월 4일

고맙다, 사랑 받아줘서

고맙다, 살아가줘서

다 고맙다

생일 축하해

달에 쌓인 눈

2월 6일

참 오래도 붙어있었다

더 단단해진 눈송이는

달빛 속에 담겨서

봄을 기다린다

꽃샘추위

2월 16일

봄의 시작에서

행복을 시작하는 이들이 있듯이

겨울의 끝에서

행복을 깨닫는 이들도 있어

너의 겨울은

봄을 맞이할 준비를 했는데

네가 겨울에 머무르면 안 되잖아

보내줘, 봄이 오게

버린 시간

2월 17일

그래도 어제가 있어서
오늘이 있는 거겠지

작년의 깨달음은
행복해도 되는 사람이었다면
올해의 깨달음은
할 수 있는 사람이었단 거

아침엔 죽기 전에 해결하잔 마음이었는데
저녁은 좀 더 살아야겠다는 생각이 든다

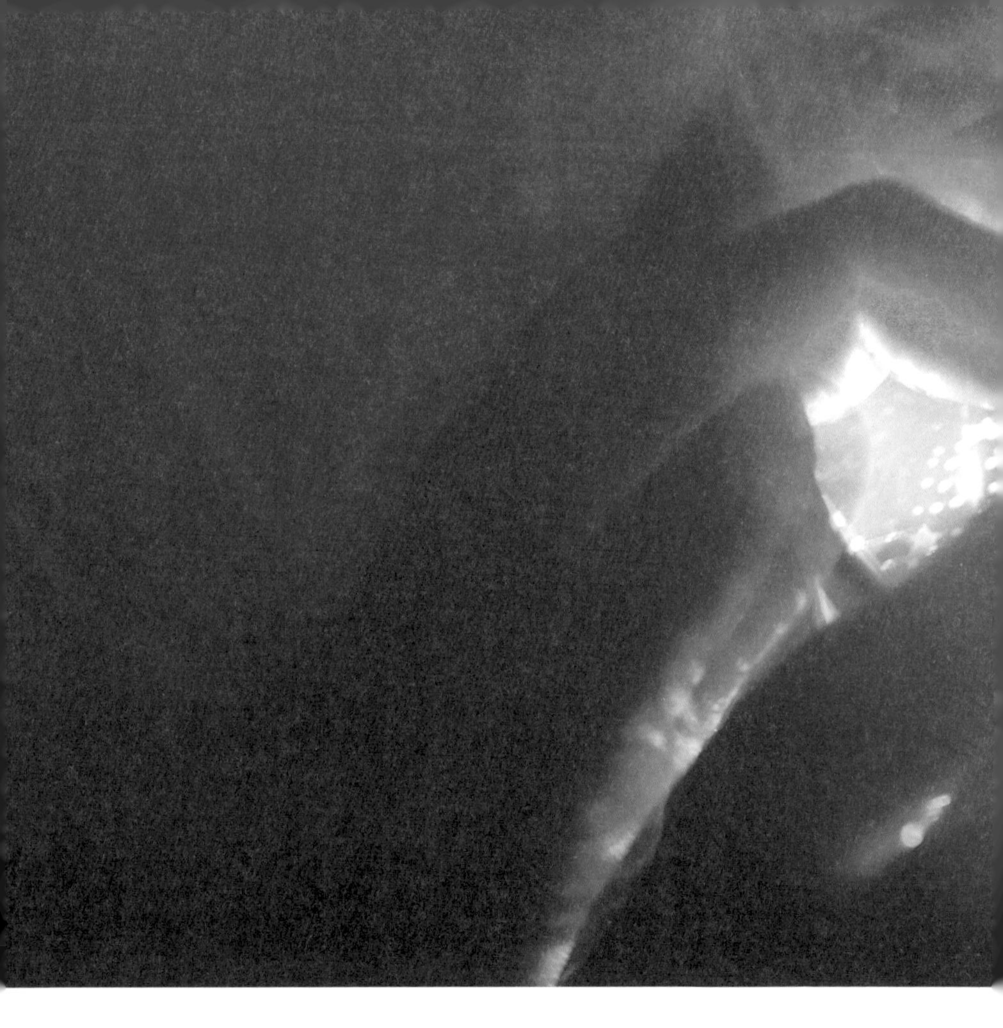

잘자요

2월 24일

오늘 밤은 아무 생각 없이

잠들었으면 좋겠어

평온함도 꿈꾸지 말고

간절함도 바라지 말고

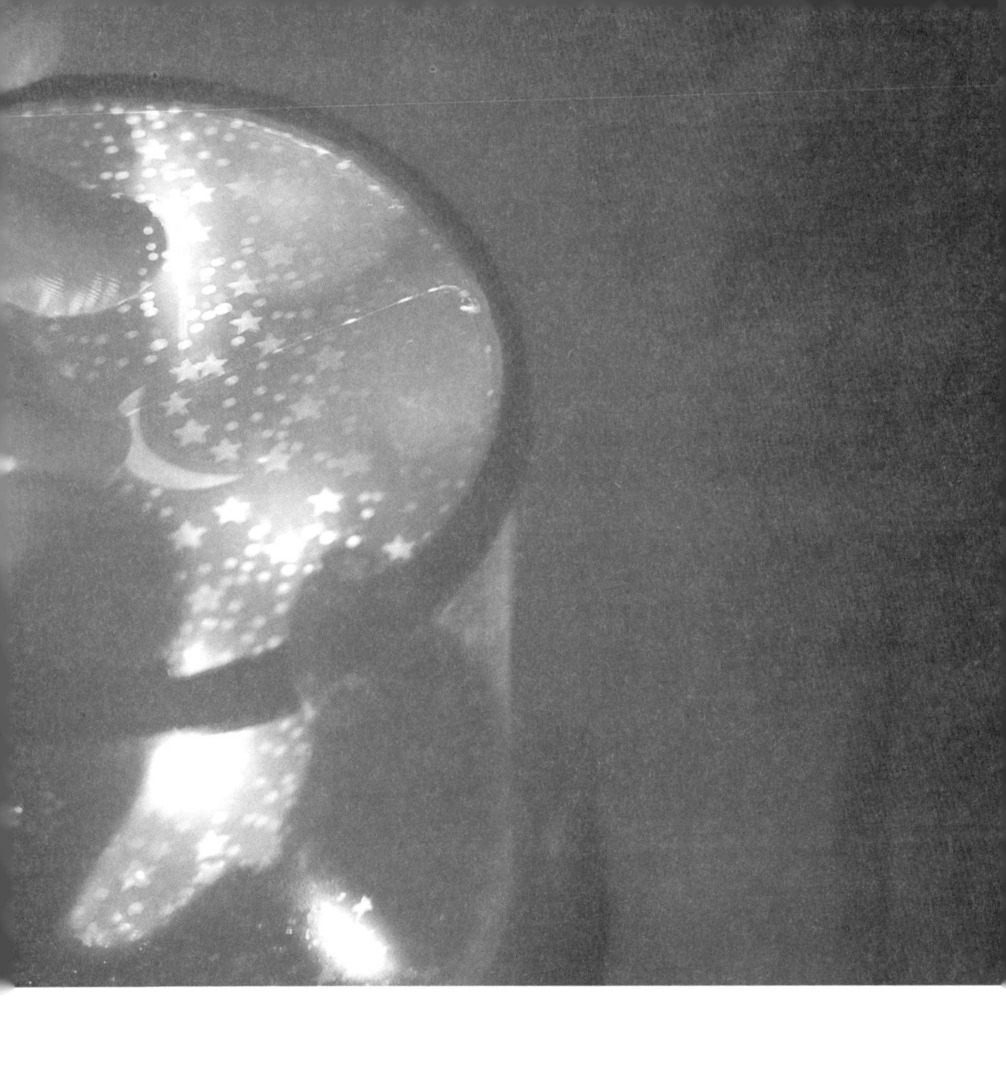

그저 졸림에 기대서

따뜻함 속에 누워서

내일의 걱정은 생각 말고

오늘의 잠만 생각했음 좋겠어

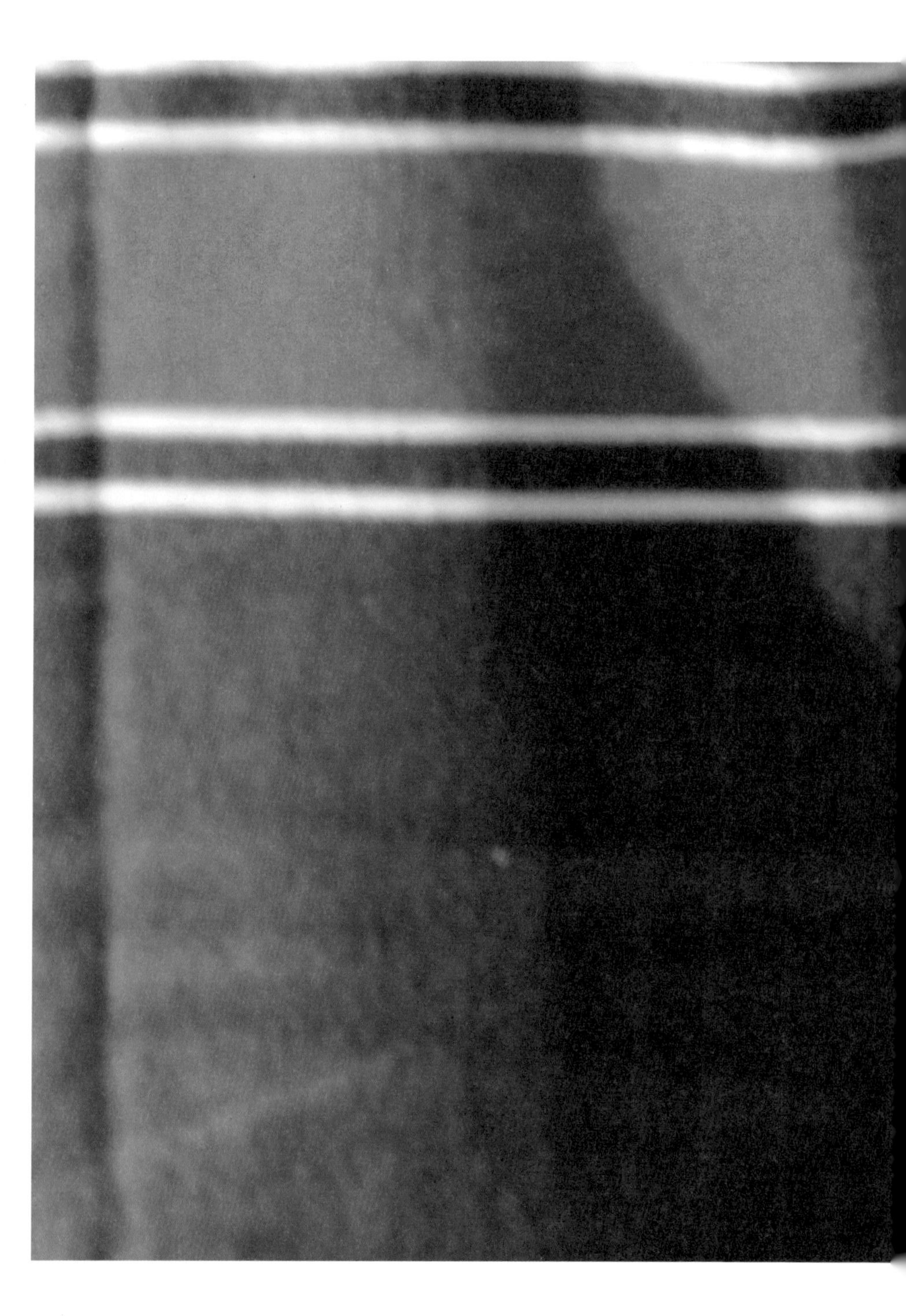

한마디

3월 6일

어차피 모를 마음

누가 알아주겠냐고

투덜거려도

그래도 외쳐보는 건

닿는 누군가가

한마디는 건네주니까

그 한마디를 위해

달려가는 용기를 내는 거고

덧붙일 수 있는 거고

웃음도 넣는 거고

미움도 건져보고

그렇게 달리는 거지

깊은 마음

3월 7일

어떤 말이 그대에게
깊게 남을 수 있을까

나 역시 다른 그대에게
깊은 미움을 줬던 사람인지라
한층 더 조심스러워지는걸

미운 마음만큼은 남기기 쉽지
허탈하게 말하는 그대를 보면
나도 모르게 쉬운 마음을 남겼나
그런 생각도 드는걸

네 사랑에 내가 없어도
네 미움에 나는 없었음 좋겠어
그것만큼은 아니길 바라곤 해

나의 경계

3월 8일

오늘도 애매한 자리에 낑겨서

울고있을 너에게 전하는 나의 경계

얼른 나의 경계로 넘어와,

네 자리 남겨줄게

잘자

3월 9일

오늘도 잘 자

내일도 잘 자

네 모든 오늘과 내일도

다 잘 자

어제와 오늘과 내일

4월 4일

바쁘게 살았냐고 묻는다면

그래도 멈추진 않았다

내 두 발은 어딘가는 걷고있었고

내 두 손은 무언가를 그리고 있었다

내 머리는 그저 생각 없이

나를 놓아주고 있었다

그러니 나는 어딘가는 가고 있었다

벚꽃

4월 10일

벚꽃이 떠나면

봄을 즐기면 된다

봄은 아직도 이어진다

네가 보고 있는 동안은

숨

4월 26일

그러니 숨을 쉬거라

숨을 마쉬거라

숨이 주는 기회를 마시거라

아무튼

5월 1일

달려가 아무튼 달려가

뒤를 돌아보는 여유는

이미 진작이 지났어

이제 네가 해야 할 건

아무튼 한 번 더

달려야 하는 것뿐이야

도망치든 벗어나든

아무튼 한 번 더 달려

그때 느낀 해방감을

다시 한번 더 찾아

권유

5월 2일

네 울음을 보면서
많은 생각이 들었어
너는 은하수처럼
쏟아지는 별빛 속에서
너는 먹구름을 품었었구나

모든 숨은 다 너였어
모든 은하수도 너였고
모든 먹구름도 너였지
근데 너는 먹구름에 가린 너만
너라고 생각하고 살았구나

네가 쏟은 은하수를 봐봐
그거 네 안에 있었던 빛이야
네가 외면했던 빛이야
이젠 그 빛도 받아들이렴
그 빛도 너니까
네가 알아주길 바라던 빛이니까

파도구름

6월 13일

많이 울었지만

그만큼 간절했고

많이 울었지만

그만큼 이뤄냈고

많이 울었지만

그래도 살았어 난

빛

7월 26일

네 빛을 인정하렴

그리고 너를 빛내렴

너는 그럴 가치 있다

17

7월 27일

나의 어린 날에게

해주고 싶은 말들은

그날의 네가 있어서

지금의 내가 있어

발 밑에 달

8월 3일

달 밑에 발을 두고
오늘의 하루를 비추려다
달이 태양이 돼버려서
그만두기로 했다

얼마나 어두웠으면
저렇게 되버렸는지
나는 아직도 모르겠고

나는 빛을 원해서
달려갔을 뿐인데
결국 내 손에 남은 건
허무함뿐이고

나는 사랑 자체라서
사랑을 주면
그대로 남아있다는 말도
되게 외롭게 느껴진다

당연한거 하나 없는

내 말들은 결국 다 욕심이었고

보상을 바라던 마음이었고

그래서 혼자가 됐나보다

그래서 달만 남았나봐

혼자 있어주나보다

바닥에 누워서 보라고

우는 나를 위해

그렇게 띄어져 있나보다

지켜봐봐

8월 6일

언젠가 다시 울음 속에서

다시 또 외로워져도

오늘을 다시 떠오르면서

다시 행복했음 좋겠어

좋은밤이야

8월 8일

좋은밤이야

이젠 날 위한 행복이

나만을 위한 행복이

시작될것같아

행복한 아침이 되길

8월 16일

행복한 아침이 되길

노랗게 빛나는 햇살이

그대 눈가 위에 스며드길

그대는 처음 본 빛에

밝은 웃음으로 맞아주길

행복한 아침이 되길

8월 16일

행복한 아침이 되길

하얗게 떠오른 구름이

그대 품에 가득 안겨 오길

그대는 두 팔을 뻗어

모든 빛을 안아주시길

나른한 시간

11월 4일

내민 손이 거절당했다면

거절당한 내 손을 내가 안아주면 돼

나는 나를 배신하지 않으니까

눈

11월 11일

너를 탓하면서

너를 걱정한다는

그 말들에 속아

너를 잃지마렴

너를 사랑하는 사람은

너를 울게하지 않아

20일

11월 20일

어차피 없는 인연 이어갈바엔

내 인연 마중나가서 반겨주자

28

11월 28일

비가 내린다

이번엔 기다리는 사람이 있다

그럼 된거다

수고했어

12월 31일

그동안 수고 많았다
꽃 하나 피우기 위해서
얼마나 많은 비가 필요했는지
이제 깨달았잖니
그러니 네 꿈을 다시 치워보자
많은 눈물이 필요할 수 있어
상처도 있을 수도 있겠지
그래도 너는 해냈잖아
그것만 생각하고 또 달려보자

일 년이 더 쥐어졌어
이번에도 안아버리자

진한 꿈 세 편

하나 둘 피는 하루 끝의 맘이
여기 같이 모여서
온 세상 사랑이
나의 앞에 꿈을 꾸듯
넌 활짝 웃고 있었지

MANGO

차가운 계절에 피는 꽃

2월 2일

차가운 계절 속

피어날 꿈 있어

푸른빛 가득한

소망을 모두 담고서

찬란하게 빛나지-

시린 틈 계절 사이에서

나홀로 화려히 빛나려는

그토록 소중한 꿈은

눈부시게 필거야-

차가운 계절에 피는 꽃

2월 2일

그러니 계절을 받아줘

그래야 피어나는 꽃이-니-까- 후 우우우

네가 태어난 계절에서

눈부시게 아름다울테-니-

MANGO

3월 17일

오늘도 들려오는 발자국 소리

한걸음에 너는 달려왔었지

너만 아는 발소리에 무슨 힘이 있는 건지

꿈 꾼 듯 웃고 있었지

신나서 춤을 추는 네 설렘 그리고 또

나와 함께 추는 반가움

온 세상 행복들과 너와 나의 미래보며

우리 같이 약속했었지

하나 둘 발끝 맞춰 가면서도

우린 함께 춤을 췄었지

내 품에 안긴 넌

우리 같은 꿈을 보며

너와 난 웃고 있었지

랄랄라 같이 부르자

우리 다함께

너와의 꿈들을 꿈꾸자

난 항상 네 곁에

있어줄테니

꼭 너도 내 곁에 있어주렴

너를 사랑해

드림파이

벌스1

그때가 자꾸 떠올라

수줍게 피어올랐던 하루

나에겐 잊을 수 없던 그 날

너를 처음 만난 날

벌스2

부끄런 마음 감추고

용기 내 한마딜 건넸지만

나에게 어떤 말들보다 더

가장 떨렸던 그 말

프리코러스1

넌 웃으며 날 반겼고

그 뒤론 우리만의 시작이 되었어

이 시간이 갈수록 더 터질 듯 커져갔고

이제야 나 네게 외쳐볼게-

코러스1

언제나 네 곁에 있어줄게

다시는 가슴 아픈 일 없도록

나에게는 너 하나뿐인걸

모두에게 보여줄게

코러스2

그동안 참아왔던 그 말들

평생토록 피어있을 한마디

언제나 웃게 해주고 싶던 그 말

평생 너를 사랑해

너를 사랑해

Sunset

드림파이

[벌스1]

잔잔하게 불어온 어느 가을밤

노란 햇살에 앉아

너의 하늘을 보네

이렇게 맑은데

왜 저기 있는 네 별은

빛이 바래

[프리코러스1]

높게 떠오른 하늘

그 아래 우리

둘만의 햇살 속에

잠시 머물던 노을

너만의 색깔들이

하나둘씩 물들고

우리 저녁에 사라졌던

[코러스1]

있잖아 아직도 나는 또 생각이나

반짝이며 타올랐었던 저녁노을 속에서

있잖아 아직도 나는 또 생각이나

너와 나만의 품을 즐기던 노을

[벌스2]

어스름이 내려온

가을밤 달빛

이젠 나 혼자 보는

밤이 슬퍼만 지네

[프리코러스2]

이렇게 하나하나 사라져가는 우리

그때 자그마하던 기억

[코러스2]

있잖아 오늘도 나는 또 생각이나

순간 속에 바래져가는 저녁노을 속에서

있잖아 오늘도 나는 또 생각이나

너와 나만의 숨을 나누던 노을

Our Dream

드림파이

[벌스1]

어렸을 땐 밤이 오면

깜깜해진 하늘 보다

알 수 없는 외로움에

그저 잠들었지

지금 내게 밤이 오면

놓지 않을 네 손 잡고

변치 않을 사랑 속에

눈을 '살짝' 감지

[프리코러스]

Love 내게로 와

We 꿈을 꾸자

Love 내게 안겨

We 행복을 꿈꾸자

[코러스]

별빛으로 가득 담긴 은하수에 갈까

그 별 안에 우리만의 소원들을 쓸까

어디에 가든 너랑 함께 간다면 여긴 Our Dream

푸른 달이 차오르는 새벽달에 갈까

그 별에서 너와 함께 작은 춤을 출까

어디에든 우리 함께라면 여긴 Our Dream

[브릿지]

하 나 하 나 따 라 오 는

별 빛 따 라 걷 다 보 면

너와 함께 맞이할 내일이

벌써부터 기다려져 설레어

너의 미소 피는 Our Dream

[코러스2]

오늘부터 내일 하루 기다려져 설레

지금 당장 너의 곁에 달려가고 싶어

두려웠던 모든 내일들이

이젠 Our Dream

[코러스3]

눈을 감고 어둠 속을 맞이하러 갈게

알 수 없는 외로움은 잊은 채로 갈게

너를 만날 설렘 하나로 행복해진 Our Dream

후기

여기까지
읽어주셔서
감사합니다

2023년의 어느 날

꽃보라 : 사랑을 바라보는 순간

2023년 8월 8일

안녕하세요, 최유리입니다.

꽃보라 편은 1월 1일부터 12월 31일까지 쓴 시 중에서 사랑 가득한 시들만 담아 만든 책입니다. 작년보다 많이 넣어보자는 마음으로 골라봤는데 챕터 한 편이 나올 정도로 가득 담겨 나와 나름 뿌듯하고 좋습니다.

사랑은 저에게 있어서 항상 어색한 감정이었습니다. 그래서 사랑을 제대로 모르고 있다고 생각하고 살았습니다. 하지만 사랑은 어디에나 있었습니다. 가족들과의 유대감에서, 친구와의 만남에서, 그리고 제가 좋아하는 모든 것들에서 사랑을 느끼고 즐길 수 있던 감정이었습니다. 그래서 이 책에는 그런 마음들이 가득 담을 수 있게 노력해 봤습니다. 여러분들에게도 제 마음이 느껴졌으면 합니다.

작년에도 말했듯이 책을 집필한다는 것은 저 혼자만의 노력으로 만들 수 있던 책은 아니었습니다. 멋진 문체와 화려한 필력이 있어야 더 좋은 책을 만들 수 있겠지만 저에게는 아니었습니다. 다양한 감정이 더 중요했습니다. 그런 저에게 다양한 감정들을 알려준 분들이 계십니다. 한 분 한 분 설명하기 어려워서 이렇게나마 마음을 전합니다. 사랑을 알려주셔서 감사합니다. 덕분에 제 삶을 사랑으로 담을수있었습니다

책이 당신의 하루 한편에 남아 사랑이 되었으면 합니다. 그렇게 여러분들의 하루들이 조금이나마 행복하게 만들어줬으면 합니다.

그럼 저는 이만 마칩니다.

제 순간들이 여러분에게 오늘 하루 잘 보내시길 바랍니다

저자 최유리

빗방울 : 너무나 아프던 바늘

2023년 8월 10일

빗방울 편은 1월 1일부터 12월 31일까지 쓴 시 중에서 아픔 가득한 시들만 담아 만든 책입니다. 2022년은 이제 막 서른이 되고 한참 불안했던 시절이라 우울한 시들이 한가득 채워진 책이 되었습니다.

우울함은 저와 떼놓을 수 없는 사이입니다. 그래서 어떻게든 떼어놓으려고 온갖 방법들을 찾아보고 했었습니다. 그중 가장 좋았던 방법은 글쓰기였습니다. 글 쓰면서 외면당할 수밖에 없는 저를 달랠 수 있어서 좋았습니다. 사람은 사람에게 기대면서 살아간다하지만 너무 힘들면 짐이 되더라고요. 그 짐이 저라는걸 깨달았을 때 마음이 가장 견디기 힘들었습니다. 그래서 불안함을 쓰기로 했습니다. 제가 쓸 수 있는 불안함을 계속해서 적어나갔습니다. 한 글자 늘어날수록 더 외롭고 아팠지만 견딜 만했습니다. 그 아픔을 써가면서 숨통이 트이는 느낌이 들었습니다.

이번 시집을 편집하면서 많은 것들을 느꼈습니다. 저 혼자서 어디까지 버틸 수 있는지를 본 느낌이었습니다. 생각보다 견딜 수 있던 사람이었네요. 하지만 두 번은 견딜 수는 없을 것 같습니다.

우울하고 우울한 기나긴 여정을 봐주셔서 감사합니다. 글 정리하면서 많은 분야를 삭제했습니다. 이왕이면 좋은 글만 남기자는 생각보단 이젠 견딜 수 있는 파트들이 많아서 정리했습니다. 우울한 글이 여러분에게 도움이 되실지 모르겠지만 작게나마 위로가 되었으면 합니다.

부족한 마음으로 쓴 글들을 끝까지 읽어주셔서 감사합니다. 덕분에 제 하루는 하루 더 행복할 것 같습니다. 우울이 찾아와도 살아남을 것 같습니다.

그럼 저는 여기서 물러나겠습니다. 여러분의 하루에 평온이 더 가득하시길 바랍니다.

저자 최유리

보름달 : 다시 또 떠오르는 새벽

2023년 8월 8일

보름달는 1월 1일부터 12월 31일까지 쓴 시 중에서 희망 가득한 시들만 담아 만든 입니다. 힘겨웠던 나날들을 이겨보자는 마음으로 쓴 글인데 가득 채워질 수 있어서 개인적으로 기쁩니다.

희망은 저에게 있어서 함부로 다루기 어려운 감정이었습니다. 설렘보다 불안함을 걱정하고 성취감보다 실패를 두려워하니 내키는 대로 걸어볼 수 없었습니다. 하지만 한 번의 성취감이 계속 이어지자 희망이 점점 커지면서 설렘이 불안함과 실패를 이기기 시작했고 지금은 실패가 두려워도 희망을 기대하는 제가 되어있었습니다.

나도 해낼 수 있다는 마음이 저를 이렇게까지 만들어줬습니다.

저는 달을 좋아합니다. 반쪽 접힌 반달도 좋고 활짝 펼친 보름달도 좋아합니다. 달은 언제나 어디서나 빛나고 있었습니다. 구름이 끼어도 빛나고 한낮에도 빛나고 새벽에도 밝게 비춰주고 있었습니다. 저는 그 모습이 마치 희망처럼 보였습니다. 어떠한 상황에서도 제자리에서 빛나고 있고 가려진다 한들 그림자를 뚫고 나오는 모습이 너무 아름다우면서 강인해 보였습니다.그래서 희망 챕터는 무조건 보름달로 정하기로 마음먹었습니다.

보름달이 뜨는 날은 왠지 행운의 날처럼 느껴졌습니다. 가득 차오른 달을 보면서 희망도 빌어보고 간절히 바라는 날도 있었습니다. 그 순간만큼은 모든 걸 이룬 것처럼 느껴지기도 했습니다.

여러분에게도 이 책이 희망처럼 되었으면 합니다.

저자 최유리

가사 모음집 : 꿈을 꾸는 듯한 순간

2023년 10월 5일

가사 모음집은 공모전에 냈던 가사와 제가 소속한 드림파이라는 팀에서 쓴 가사들입니다. '차가운 계절에 피는 꽃'과 'MANGO'는 공모전에 제출했던 가사, 나머지 곡들은 제가 속한 음악팀인 '드림파이'에서 쓴 가사들입니다. 책에 실을 수 있게 허락해준 우리 맴버들 감사합니다!

'드림파이'는 앞에서 말했듯이 제가 속한 음악팀입니다. 드림파이는 이름처럼 제 꿈을 이룰 수 있게 도와준 팀입니다. 항상 좋은 곡을 주고 제 못난 가사를 붙일 수 있게 도와주고 응원도 해주고 더 발전할 수 있게 도와준 멋진 팀입니다. 그래서 항상 감사하는 마음으로 폐 끼치지 않게 열심히 음악 작업을 하고 있습니다. 지금은 준비 중이라서 활동 전이지만 꼭 소개하고 싶어서 이렇게 넣어봤습니다. 아마 이 책이 나왔을 때 쯤에는 데뷔했을지도 모르겠네요. 그러면 이 노래들도 다 공개가 되었을테니 많이 들어주시길 바랍니다!

음악은 저에게 있어서 어려운 존재였습니다. 작사가로 데뷔는 했지만 그 뒤로 마땅한 결과를 낸 적이 없어서 내가 과연 작사가라고 할 수 있을까, 이런 생각이 많이 들었습니다. 그래서 저 없이 친구들끼리 음악하는 모습을 보면서 겉으론 응원해도 속으로 많이 질투했었습니다. 내게는 없는 기회를 나누는 모습이 싫었습니다. 그 사이에 낄 수 없는 제가 싫었습니다. 그래서 음악과 가사는 제 안에서 점점 멀어지기 시작했었습니다.

그러다 공모전을 발견하고 다시 한번 더 용기를 내기 시작했습니다. 가사 쓰는 건 어렵습니다. 하지만 멜로디에 맞는 단어를 찾았을 때, 그 멜로디를 부를 때 그 쾌감은 정말 좋았습니다. 그래서 포기하지 않고 계속 쓰게 됐고 이렇게 멋진 팀을 만났습니다. 그래서 드림파이는 제게 너무 소중한 팀입니다.

이 자리를 빌려서 다시 한번 더 고맙다고 말을 전하고 싶습니다. 제 가사를 소중히 여겨준 드림파이 맴버들, 너무 감사합니다.

저자 최유리

서지정보

지은이 : 최유리
초판 1쇄 발행
편집디자인 : 최유리
표지 사진 : 최유리
펴낸 곳 : 주식회사 만다링랜드
출판사등록 : 2023.02.03(제023-000011호)
전화 : 010-9338-5642
이메일 : lovelyu24@naver.com

ISBN: 979-11-982122-1-4(03810)